D1132843

buzz

Zoóngoro Bailongo

A mi hijo Zenén, con todo mi amor.

Dirección editorial: Ana Laura Delgado
Cuidado de la edición: Sonia Zenteno
Corrección de estilo: Ana María Carbonell
Concepto de diseño: Julio Torres Lara
Diseño: Ana Laura Delgado y Julio Torres Lara

Primera edición, agosto 2009
D.R. © Ediciones El Naranjo, S. A. de C. V.
Cda. Nicolás Bravo núm. 21-1, Col. San Jerónimo Lídice
Del. Magdalena Contreras, C. P. 10200, México, D. F.
Tels. +52 (55) 5652 1974 y (55) 5652 6769
elnaranjo@edicioneselnaranjo.com.mx
www.edicioneselnaranjo.com.mx

ISBN: 978-607-7661-01-6

Impreso en México • *Printed in Mexico*

ZOÓNGORO, BAILONGO

CUENTOS DE RAÍZ JAROCHA

Zenén Zeferino

Julio Torres Lara
Ilustraciones

EDICIONES EL NARANJO

Introducción

ᔕ

Los cuentos son una forma divertida de conocer nuestro entorno. A través de ellos, nuestros pueblos transmiten, de generación en generación, sus sentires, sus alegrías o tristezas, sus enseñanzas, sus tradiciones y hasta los acontecimientos de la vida cotidiana.

En muchas culturas el cuento está inmerso en un contexto festivo. La música, el baile y la poesía crean el ambiente propicio para que la fabulación fluya y se entreteja con las fiestas.

Cuando yo era niño, en el sur de Veracruz, los cuentos del tío coyote y el tío conejo y las historias de los chaneques y demás seres fantásticos que recorren, hasta nuestros días, los montes de mi región, alegraban mi mundo.

Al transitar con mi padre a lomo de caballo estas tierras, disfrutaba de la algarabía de los changos en las copas altas de los árboles, del vuelo de los tucanes y otras aves que con sus cantos presagiaban lluvia, del revoloteo de multicolores mariposas que, espantadas por el paso del ganado, invadían los caminos húmedos. En fin, de toda esa riqueza de imágenes que constituyen nuestra historia oral veracruzana. Esa exuberancia me nutrió y, de manera natural, me hice poeta y músico.

Por más de trescientos años venimos cantando nuestra particular forma de entender la realidad, nuestros versos siguen hablando de las flores, de los animales, del mar y de tantas cosas que tienen que ver con nuestro entorno natural que, a pesar de los cambios que el mundo ha experimentado, sigue inmutable.

Las historias de este libro tienen mucho que ver con este mundo mágico, pródigo en colores, olores y música. En ellas desfilan y se confunden animales e instrumentos musicales de la región que, como el clima, varían de un lugar a otro. Algunos son poco conocidos aun por sus mismos habitantes, como es el caso de la jarana con concha de armadillo. Ellos, que con su música son espejo del paisaje, nos llevan a través de la montaña, con el fandango resonando en nuestros oídos, y nos transmiten su mensaje de inmenso respeto por este bello entorno.

Z
Z
Z
Z
Z

Leovigilda

A LA SOMBRA DE LOS ALTOS CEDROS, ROBLES, AMATES, CHAGANES Y MUCHOS árboles más que parecen gigantes verdes y cariñosos, y que nos regalan oxígeno. Al interior de los arbustos que se llaman: pata'e vaca, uña'e gato y de grandes helechos arborescentes. Ahí, donde nacen enredaderas como el agraz, el totoloche y el guatimé, que más que enredaderas parecen venas que salen del suelo y se elevan hasta la copa de los árboles, como si fueran mensajeras del feliz agradecimiento de la tierra, por mantenerla siempre fértil bajo su sombra.

Yo quiero contarles que al interior de ese universo verde y fresco se entrelazan muchas historias, tal como esas enredaderas que lo inundan. Por eso, en las mañanas, cuando las nubes se posan como pañuelos blancos que le secan el rocío a la montaña, se escucha entre los aguajes el canto sonoro de los pichichis, que en parvada repiten:

—¡Percudido, vístete, percudido, vístete!

—¡No hay cuidao, no hay cuidao! —las escandalosas chachalacas responden.

—¡El que puede, puede… el que puede, puede! —agregan las poposchquelas.

¿Saben por qué con su canto las aves dicen ésta y otras cosas? Se los diré… mmm… mejor otro día, porque hoy relataré un cuentito más divertido: en esos parajes existen, entre tantas especies, los pumas. Los habitantes de esta región los llaman leones de montaña. Pues resulta que una leona de montaña, llamada Leovigilda, amaneció cierto día muy desvelada, porque decidió hacer un recorrido nocturno en busca de alimento. Después de mucho caminar, el agotamiento se apoderó de su cuerpo y decidió subir a las ramas de un amate. Ahí, cómodamente acostada, comenzó a roncar: "gr gr gurrr".

Soñó que los brazos de Cidronio, el viejo cedro, le acariciaban la pelambre abundante y fina, como siempre lo había hecho desde que era pequeña, y que sus ramas le cantaban, al compás del aire juguetón, el son del *Solecito*.

En el sueño, Cidronio cantó en un profundo verde melodioso, y de inmediato se acercaron los amigos preferidos de Leovigilda: Zancudiermo, el mosquito; Chalío, el chaquiste; Jabalda, la jabalina; Aldegunda, la tortuga; Armandillo, el armadillo, y Burregundo, el burro que decidió vivir eternamente en la selva.

Plácidamente soñaba Leovigilda, cuando, de repente, haciendo un ruido ensordecedor, algo cayó en esa parte del monte, algo que parecía sumamente pesado. Las pequeñas ramas de los arbustos crujieron con cada descarga recibida. El interés de Leovigilda, por saber lo que ocurría, la hizo saltar de las ramas del amate. Caminó sigilosa, dibujando a cada paso, con su larga cola café, un signo de interrogación. Llegó lo más cerca que pudo. Entre las ramas asomó su enorme cara. Un olor fuerte y putrefacto la hizo retroceder, mientras sus ojos intentaban descifrar qué era aquella enorme silueta, amontonada y maloliente, que hería la pacífica y limpia oscuridad de la noche.

Amaneció. El alba decidió no cantar su acostumbrada canción matinal con el gorjeo de los pájaros.

Con los ojos fijos, Leovigilda se mantenía atenta a lo que la había importunado durante la noche. Enormes bultos negros. Inmóviles monstruos de aliento desagradable. Ahí estaban marchitando la sonrisa verde de la selva.

Leovigilda, asustada y somnolienta, emprendió la carrera de regreso hacia donde ella vivía. Necesitaba contarle a Cidronio aquel suceso inesperado. Él sabía todo lo que acontecía en la selva y más allá de ella, pues el viento le traía noticias frescas de todo el universo.

Exhausta, Leovigilda llegó al pie de las raíces de Cidronio. Éste escuchó todo lo que ella le dijo.

El viento agitado cruzó tempestuoso por las ramas de Cidronio, dejándolo con un gesto de preocupación.

—Aquello que viste, Leovigilda, ¡es basura!, ¡mucha basura! —exclamó Cidronio.

—¿Qué es la basura? —preguntó Leovigilda.

—Un monstruo silencioso que está devorando el latido transparente de la humanidad —contestó el viejo árbol.

—¿Y… a… nosotros tam… bién nos come? —preocupada y temerosa, quiso saber Leovigilda.

—Si no hacemos algo pronto, puede ocurrir —sentenció Cidronio.

Cidronio, con toda su sabiduría, se quedó pensativo un instante, sacudió sus ramas, como si en el fondo de su savia eterna buscara las canciones que cada tarde entonaba.

—¡Música! —dijo Cidronio—, ¡sí, música! ¡Lo tengo, Leovigilda!, la música es la llave que abre el corazón de todos los seres vivos: de las flores, del zacate, de los animales y de los seres humanos. La música nos ayudará a llevar nuestro mensaje.

—¿Y cómo vamos a hacer eso? Yo no soy música, yo no sé cantar —expresó Leovigilda—. Lo único que hago es gruñir y gruñir, y con eso sólo consigo espantar a mi alrededor.

—No te preocupes, Leovigilda, muy pronto ese sonido será una melodía que se escuchará mucho más allá de esta selva, tu gruñido se convertirá en las notas que convoquen distintos pensamientos que puedan ayudarnos a combatir lo que hoy está ocurriendo.

—¿Y cómo va a ser eso? —dijo Leovigilda.

—Cierra los ojos —indicó Cidronio.

—Hace mucho tiempo, los dueños del monte me dieron un encantamiento, me dijeron: "Algún día lo necesitarás", y ¡hoy es el día!

—Ven, Leovigilda, toma mis brazos, déjame guiarte hacia el encanto… Cuando pases por el agujero de este viejo tronco, tu cuerpo se convertirá en un bello instrumento musical.

Leovigilda, con la esperanza anidada en su corazón, traspasó el enorme agujero del anciano Cedro. Éste, con sus ramas, levantó dulcemente del tierno pasto a Leovigilda, convertida en una hermosa y sonora leona.

Tiene el nombre de fiera

con fuerte y grave sonido,

habita entre la madera

y alegra con su rugido

nuestra fiesta fandanguera.

§

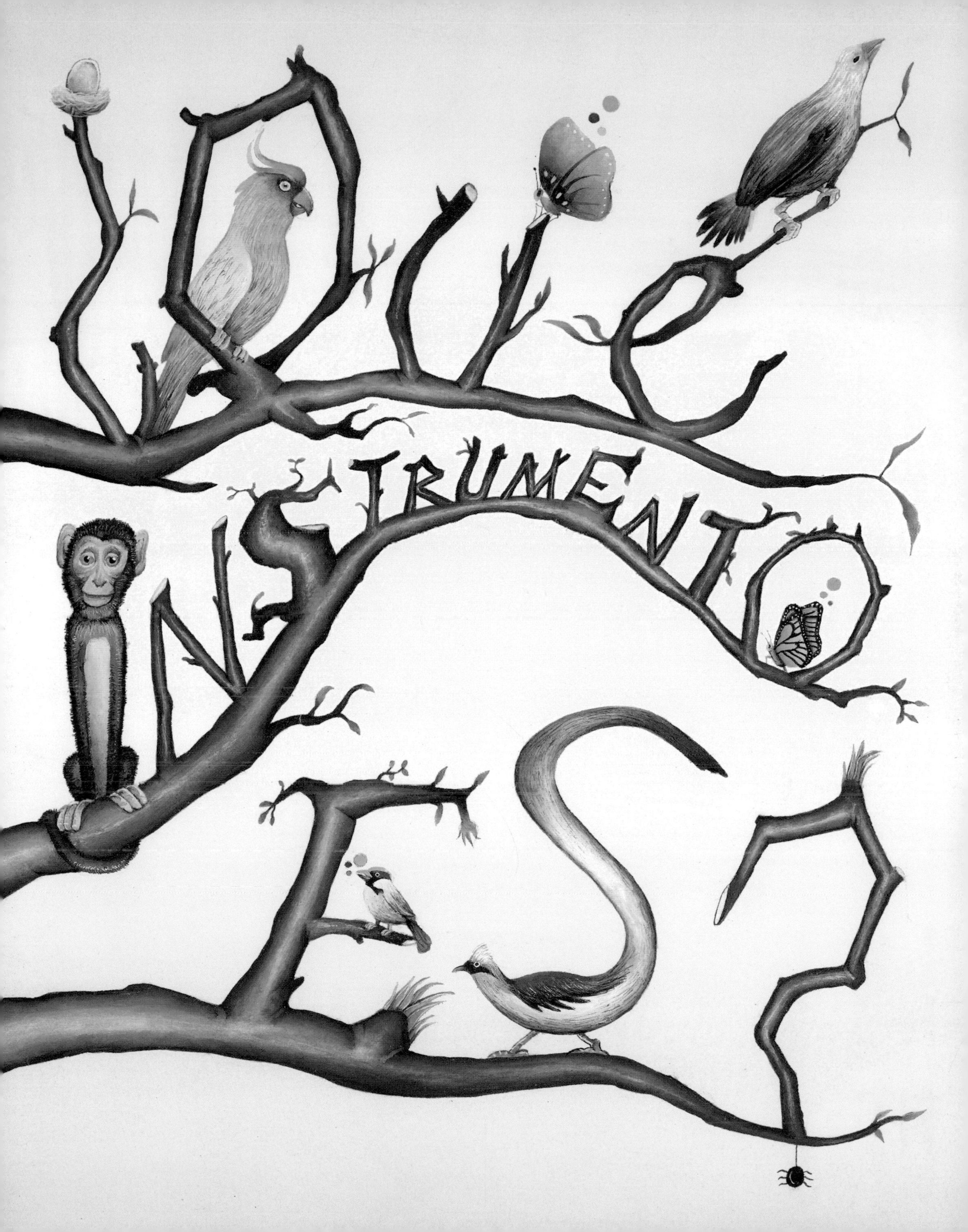
INSTRUMENTO
ES

L E O N A

Leona de cedro gigante, / tu corazón encantado / alegra con su sonido / las maderas del fandango. ¶ Con el cuerno de un novillo, / tus cuerdas suenan bonito, / ronca voz de tu madera, / tun, tun, tun... al infinito.

¶ Mi abuela tiene cabellos / con giros de caracol, / se los despeina la leona / entre las manos el son. ¶ Es "leonero" tío Agapito, / y también Delio Morales. / Con Tino tico ellos tocan / la leona en los festivales.

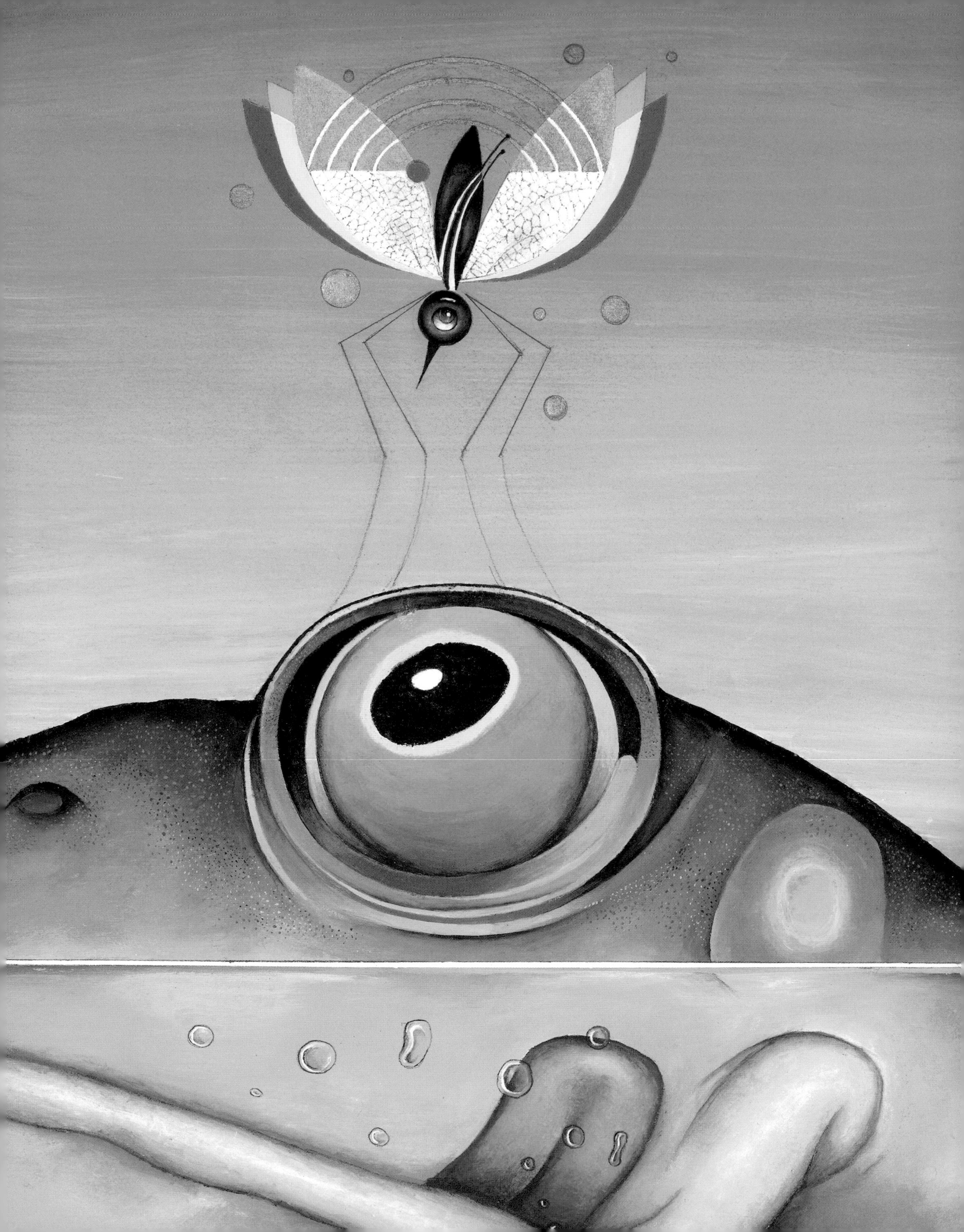

Zancudiermo

ZANCUDIERMO MOSQUEDA ES UN MOSQUITO INTRÉPIDO, VECINO DE LA CIÉNEGA Grande. Habita en una frondosa planta de hoja de sombrilla, que crece amontonada a la orilla de aquel estanque y que es el mejor conjunto habitacional para Zancudiermo y demás parentela. Ahí se han reproducido por millares de generaciones, durante muchos años.

Hermosa la Ciénega Grande. ¡Qué feliz don Sapo! ¡Linda doña Sapa!, cuidando el cardumen de guarasapitos.

La rana Ranulfa, experta comerciante y hábil cazadora, decidió rematar su mercancía, como todas las demás ranas locatarias en el mercado del ranerío, que cada tarde y hasta el amanecer se instalan a las orillas del aguachal. Chinchirrines, moscas, zancudos y demás insectos son ofertados al grito de: ¡bara, bara, llévele, bara, bara!

No muy lejos de ahí, Zancudiermo abría sus alas, perfumaba sus antenas y estiraba sus ya de por sí alargadas patas…

"¡Ahhh! Otras horas más en este paraíso", susurró Zancudiermo. "Es la hora de levantarse e inspeccionar la guapura. Ala derecha: zzzz. Ala izquierda: zzzz. Pata derecha: zzzz. Pata izquierda: crikk, criiikk. Movimiento circular. Antenas sensoriales… ¡Uufff!, todo en orden."

Zancudiermo era un mosquito que cuidaba hasta el más mínimo detalle de su aspecto, necesitaba estar presentable en cualquier ocasión y más tratándose de amores. Las horas que cargaba encima, que ya eran muchas, no le permitían el menor descuido en su porte, por si acaso alguna zancuda soltera se le presentaba.

"¡Qué bonito día! El sol saliendo. Las aves cantando. Mis amigos se van a levantar en esta selva de los animales", recitaba Zancudiermo. "Las nubes blancas. Espléndida mañana para perfumarse el cuerpo con las aromáticas flores de esta Ciénega", seguía Zancudiermo.

Concentrado en sus pensamientos estéticos, el intrépido, esquelético y eufórico Zancudiermo no se imaginaba siquiera la aparición problemática, crítica y drástica de la lengua elástica, devoradora de mosquiticos, de la rana Ranulfa, quien ya lo había visto venir y lo esperaba, silenciosa, detrás de las ramas de las flores del palmón.

"La, la, laaa… la, la, laaa. No hay zancuda que resista mi presencia tan galante, todas caen en los brazos de este corazón amanteeee.

La, la, laa... la, la, laaa", volando y con los ojos cerrados entonaba esta cancioncilla nuestro célebre mosquito.

Cuando, de pronto, un lengüetazo le despeinó sus perfumadas antenas. Espantado y con los ojos abiertos abiertos, el mosquito vio cómo preparaba el segundo ataque la raaaana Raaaanulfa.

"¡Ay!", grito Zancudiermo, "¡alabada señora de los mosquiteros, santa Zancularia, patrona de las ciénegas, socórreme!".

Esquivó la segunda embestida y emprendió la huida zigzagueando y sintiendo detrás de sí los saltos amenazantes de Ranulfa que, a poca distancia, se mantenía al acecho.

Volaba a toda velocidad, sudoroso y angustiado. Volvió la vista para situar la distancia entre la lengua de Ranulfa y él: diez lenguas de distancia, calculó: "Bastante trecho, pero no el suficiente como para estar a salvo", pensó, y cuando volvió a mirar al frente: ¡trucutrúm!, tremendo choque inevitable.

Por unos instantes, Zancudiermo perdió el sentido. Al recobrarlo y querer emprender nuevamente el vuelo, se dio cuenta de que una de sus patas estaba atorada en un enorme bulto negro con olor putrefacto.

"Necesito liberarme, no puedo perder tiempo. Empujaré con todas mis fuerzas", se decía Zancudiermo, tembloroso y angustiado, mientras miraba cómo la rana Ranulfa se aproximaba saboreándoselo en cada salto.

"¡Al fin eres mío, Zancudiermo!", gritaba la rana, al verlo prisionero en aquel bulto.

Zancudiermo luchaba por liberarse, pero entre más esfuerzo hacía, más se atascaba su frágil patita.

"Jala, jala, jala", se decía a sí mismo Zancudiermo, "tres lenguas de distancia... Ranulfa está muy cerca, dos lenguas... ¡jalaaaa!".

¡Zas! Salió volando Zancudiermo por el esfuerzo, mientras desde el aire veía cómo su patita se había quedado prensada en aquel bulto negro.

A una lengua de distancia Ranulfa emprendió nuevamente la persecución de su presa.

A punto de desmayarse, Zancudiermo continuó su vuelo a ras de tierra: ¡necesitaba salvar su vida! Nada quedaba de aquel gallardo y apuesto zancudo de la Ciénega, pero era lo que menos importaba. Ranulfa lo seguía con un hambre desenfrenada, y él en lo único que pensaba era en ponerse a salvo.

En el vuelo de escapatoria pudo ver las huellas de Leovigilda, muy fresquitas, como de primeras horas de la mañana.

"¡Leovigilda! ¡Mi amiga! ¡Ella me puede salvar!", agotado pensó Zancudiermo.

Con las pocas fuerzas que le quedaban y un vuelo rasante, comenzó a gritar: "Leovigildaaa, sálvame, sálvameee, Leovigildaaa".

Ranulfa se aproximaba cada vez más. Con cada salto, la distancia se hacía más propicia para asestar el lengüetazo definitivo. "Tengo que hacerlo pronto", pensaba Ranulfa, "porque si Leovigilda aparece, me quitará el suculento manjar de la boca".

Ranulfa veía cómo los aleteos del mosquito eran cada vez más torpes y lentos.

Tres lenguas de distancia, dos... una... "¡Lo tengo, es mío!" Brincó la rana Ranulfa sobre su presa, en el preciso momento en que Zancudiermo atravesaba el agujero encantado de Cidronio, el viejo cedro. La lengua pegajosa

de Ranulfa, al jalar a su víctima, recibió un golpe durísimo en la boca de un extraño Zancudiermo en forma de guitarra pequeña, que armónicamente rezumbaba en el viento, aun faltándole una cuerda, y entonaba en el son de los enanos este versito:

Ranulfa quiso
comer zancudo,
y por Cidronio
ella no pudo.

Una mano y cada dedo

me buscan para aplastarme.

Si me encuentran ya no puedo

volar, correr o zafarme, toda la

noche me quedo zumba que

zumba al tocarme.

§

QUÉ
INSTRUMENTO
ES?

M O S Q U I T O

Mi primer regalo, / cuando pequeñito, / fue la voz alegre / de mi requintito. / Que también le llaman / sonoro mosquito. ¶ Cinco cuerdas suenan, / cuerdas cantarinas, / ellas acompañan / a todas sus primas:

/ jaranas que besan / juntas la tarima. ¶ Yo tengo un mosquito, / no da paludismo / ni tampoco dengue. / Con su gran zumbido contagia a toditos / de música y ritmo. ¶ Mosquito sonero / de montaña y llano, / de río, de ciudad. / Contigo cantamos. / Alas musicales / brotan de mis manos. ❧

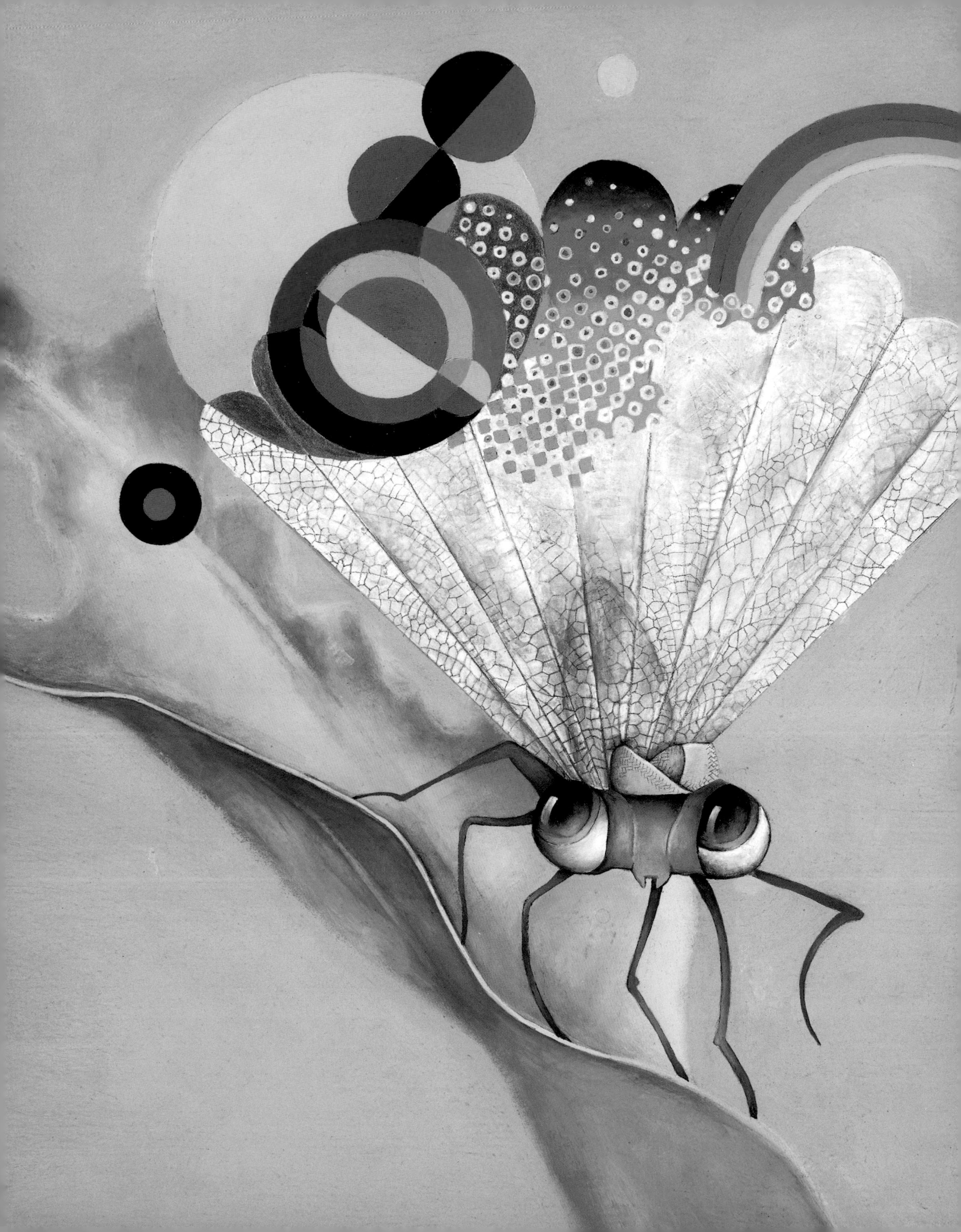

Chalío

ஶ

El mar onduló su cuerpo, matinal bostezo de brisa salina, que le abrió las alas a cuatro gaviotas que recogían pequeños bocados para sus polluelos en la orilla húmeda. A lo lejos, la montaña alzaba los brazos de sus ceibas para saludar al mar, que estiraba una ola espumosa, como si fuera una mano que intentara cortar las primeras flores de las berenjenas que adornaban los médanos frescos de ese día, en los que se entrelazaban muchas historias.

Antes de que la ola llegara, un diminuto, pero veloz y agresivo vuelo, hizo caer los pétalos de los botones de las berenjenas. Todas las flores que abrían, una a una, fueron cayendo al sentir el filo volador.

Había llegado el temible Chalío, cabecilla de una banda de diminutos, haraganes y agresivos insectos que llenaban de terror, mordeduras y ronchas a todo ser vivo que se acercara a sus territorios.

Amante de la velocidad y el desorden, la vida de Chalío consistía en crear problemas donde quiera que llegaba con su pandilla.

—¡He vuelto a casa! Veamos cómo se encuentra todo: todo en orden… ¡muy mal! ¡Llegó la hora de poner el desorden! —soberbio, exclamó Chalío.

En un instante todo aquello se volvió un reguero y un destrozo, su despavorido vuelo parecía no tener fin.

De pronto alguien, enérgicamente, se dirigió a él:

—¡Chalío, detente, basta ya! ¡Llegó la hora de ponerle un alto a tus tropelías!

Furioso, Chalío se detuvo dispuesto a enfrentarse a quien osaba hablarle de esa manera, pero el aguijón filoso y desenfundado de Polendrina, la abeja trabajadora del panal más grande de la montaña, lo hizo retroceder.

—¿Quién eres tú para entrometerte en la vida ajena? —gritó furioso el chaquiste.

—Chalío —dijo Polendrina—, no es posible que tú vengas a empeorar con tus actos todo lo que se está viviendo en este entorno y del otro lado de la montaña. No es posible tanta inconsciencia y tanto destrozo de tu parte.

—Lo que pase aquí y en otra parte no me interesa —contestó arrogante Chalío.

—Pues debería interesarte —replicó la abeja.

—¿Y por qué? —con un gesto de desinterés, remató el chaquiste.

—Porque muy pronto, todo esto que ves lleno de vida no será más que un desierto marchito. Y esto lo saben muy bien del otro lado de la montaña, cerca de la Ciénega Grande.

Chalío, impactado por lo que la abeja decía, guardó silencio, su gesto de enojo cambió por el de preocupación. Sin decir nada se dio la vuelta, enfilando mirada y vuelo rumbo a la Ciénega. A toda velocidad los recuerdos de su niñez le llegaban: "Querido primo, qué estará pasando contigo, necesito saber. El monte, la Ciénega, los recuerdos… no pueden morir, necesito estar ahí a tiempo".

Al llegar, el chaquiste notó que todo era silencio, sólo un chinchirrín muy viejo, a vuelo lento, recogía lo que había sido su casa.

—¿Dónde están todos? ¿Qué está pasando? —preguntó Chalío.

—¡Ay, mijito! Aquí ya no se puede vivir, ¿no sientes este olor a podrido que invade todo? —contestó el chinchirrín.

—Sí, pero… lo que me interesa es saber de mi primo Zancudiermo —dijo Chalío.

—Hace un par de horas se lo comió ese monstruo oloroso, cuando quería escapar de la rana Ranulfa.

—¡Nooo, Zancudiermo, primo mío!, vengaré tu muerte —gritó furioso Chalío.

Al llegar al lugar de los bultos negros, pudo ver la patita de su primo.

Chalío lloró amargamente. Dispuesto a batirse en duelo, preparó toda su furia para descargarla sobre aquella bestia. En ese momento, justo detrás de él, escuchó una voz ronca y pausada que lo hizo detenerse:

—Espera, a Zancudiermo no se lo tragó esa cosa, pudo salvarse, se liberó y salió volando en dirección al viejo árbol de cedro —le confió el Zopilote mientras revoloteaba en la basura.

Las preguntas le venían una a una a la cabeza, como aquella bandada de aves de rapiña que danzaba en el cielo.

Las huellas de Ranulfa lo guiaron hasta el tronco de Cidronio, frente a él, el diminuto insecto preguntó:

—Sabio cedro, ¿qué pasó con Zancudiermo? ¿Qué está pasando aquí?

—¿Quién eres tú? —observándolo de cabo a rabo, contestó Cidronio.

—Soy Chalío, el chaquiste, primo de Zancudiermo.

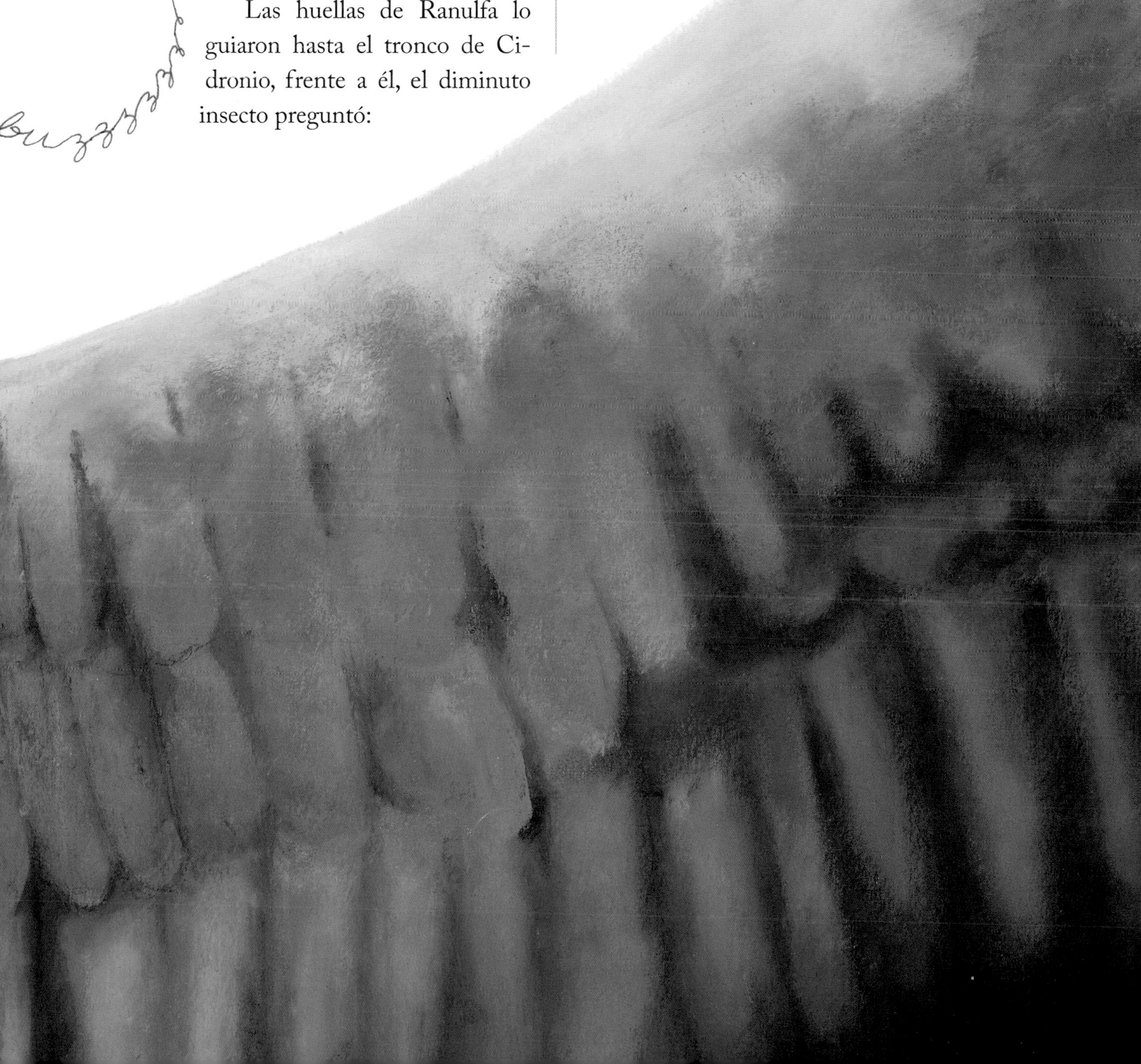

—¡Ahhh, el famoso cabecilla del destrozo!

Tu primo está vivo, está conmigo vestido de un alma nueva, con él combatiremos y derrotaremos eso que se llama basura, que es lo más espantoso de estos tiempos. ¿Tú, entiendes eso?, ¿te das cuenta de lo que esto está provocando?… ¿Tú que vas a entender?, si toda tu vida ha sido de desorden e inconsciencia.

Cabizbajo, Chalío escuchó lo que el sabio árbol le decía. Con lágrimas en los ojos, murmuró:

—Perdón, estoy arrepentido, déjame ayudarte, quiero estar junto a mi primo para combatir y cambiar esta situación, dame una oportunidad. Dime, por favor, ¿qué debo hacer?

—¿En verdad quieres hacerlo? ¿Seguro? Porque tu cuerpo no será el mismo, tendrás otra forma y otro espíritu —aseveró Cidronio.

—¡Sí! Estoy convencido de querer ayudar.

—Chalío, como eres muy pequeño, tendrás que agitar fuertemente tus alas, tan fuerte que rezumben por encima de todas las noches y mañanas, que su sonido viaje por la corriente de los arroyos y los ríos para que se despierte la esperanza de un nuevo amanecer.

Mientras el viejo cedro hablaba, Chalío rezumbaba de tal forma que, cuando Cidronio le dio la orden de traspasar el encanto, sus alas, convertidas en cuerdas, quedaron agudamente vibrando, haciendo bailar los cabellos dorados del sol de mediodía.

Sólo soy un pedacito

de madera, que al volar

con alas sonoras, grito.

Y esto es digno de admirar:

que aun siendo tan pequeñito,

grande soy al resonar.

§

INSTRUMENTO
ES?

C H A Q U I S T E

Todos me dicen que soy chaquiste, / que soy juguete por mi figura. / Ni soy un chiste ni soy juguete. / Yo soy la esencia de la cultura. ¶ Todos preguntan por el chaquiste, / tan diminuto pero gritón. / ¿Dónde se encuentra, que

no lo vemos? / Pero se escucha en la diversión. ¶ Si nuestra fiesta calla un momento, / todos me buscan con gran empeño; / me escondo aprisa, me quedo quieto, / en el bolsillo que abre mi dueño. ¶ Si un día llegas a Veracruz / en un fandango verás que existe / una jarana muy pequeñita, / que se conoce como el chaquiste. ❧

Jabalda

ᔕ

El sol despeinó sus trenzas rubias, sus cabellos luminosos atravesaron la espesura frondosa de los árboles. La tierra bebía la cálida luz de aquellas horas, en aquel apartado sitio de la montaña. En ese momento, lo único que se escuchaba era la incesante labor de Jabalda que, echada en el lodazal, preparaba el mejor de todos los barros para fabricar los más hermosos platos, tazas y ollas en los que serviría los más sabrosos platillos de aquel lugar.

Jabalda, amante de la música, artesana y excelente cocinera, era la íntima amiga de Leovigilda, y cada mes realizaba un viaje para degustar con ella, y todos sus amigos, exquisitos platillos preparados con su sazón especial: mogo mogo de los plátanos silvestres, quelite y chipile en molito, cuanajnagat en barbacoa. Yuca, malanga, calabaza, papaya, melocotón en dulce, mmm… mmm… Los postres más deliciosos que jamás se hayan probado eran preparados por sus manos expertas. Terminó sus labores de alfarería. Con un buen baño limpiaría su oscuro cuerpo. Antes del mediodía debía estar lista para emprender el camino.

La casa de Jabalda era una cueva muy bien escogida, entre las enormes y alargadas cañas de la jimba; estas cañas crecen trenzadas y en sus tallos enormes espinas alejan a cualquier intruso.

Recién bañada, Jabalda colocó en su cabeza una corona hecha de aromáticas flores de la campanilla. Acomodó dentro de su canasta los trastes y las ollas llenas de comida. Aparte de eso, tomó su guitarra para alegrar la sobremesa.

Antes de partir revisó que todo estuviera en su sitio, y dejó un recado en la entrada de su cueva, por si alguien la requería.

Seis chaneques, que disfrutaban de las transparentes aguas del manantial, se hicieron a la orilla del camino para saludarla. Uno de ellos escogió y cortó una hermosa hoja de sombrilla para regalársela a Jabalda.

Ella se detuvo un momento para saludar, debía hacerlo, porque si no, no se escapaba de una terrible travesura. Estos pequeños seres eran los encargados de jugarles una que otra broma o enseñarles secretos a los hombres en aquellos caminos campesinos de la montaña.

—¿Querida Jabalda, adónde se dirigen tus aromáticos pasos? —preguntaron los chaneques.

—¡Amigos míos! —respondió Jabalda—, ¡voy a visitar a Leovigilda y a los demás amigos, y para ello he preparado un almuerzo delicioso!

—Te espera un largo camino. Por esa razón te queremos regalar esta sombrilla, pero antes de entregártela, ¿qué te parece si nos deleitas con una canción?

—¡Claro! —contestó ella.

Acomodó su canasta a un lado y entonó la mejor canción de su repertorio. Al terminar, los chaneques aplaudieron felices. Le entregaron su sombrilla, y le desearon buen camino.

Llegó a la punta del cerro que todos nombran Matilla de Conejo, desde ahí ella siempre contemplaba la Ciénega Grande y los enormes brazos de Cidronio. Pero ese día algo brillante reflejaba la luz del sol. De aquel reflejo, que nunca antes había estado ahí, se elevaba al cielo una espiral delgada de humo negro.

Extrañada, Jabalda se fue acercando poco a poco al lugar indicado. Un olor penetrante desvaneció el aroma de su corona de flores. Ahora la cnvolvía el hilo de humo negro que había observado a la distancia. Sintió que perdía las fuerzas. Aquel humo empezaba a asfixiarla.

Sus débiles piernas tropezaron. Su canasta voló por el aire, desparramando su exquisita comida. La guitarra se quebró al recibir el peso de su cuerpo. Se arrastró como pudo debajo de aquel humo, para juntar todo y ponerlo en su canasta. No pudo rescatar su guitarra. Con grandes esfuerzos salió de aquella nube tóxica. Esperó unos minutos y logró incorporarse. Nuevamente retomó el camino…

Todavía atolondrada, llegó preguntándole al viejo cedro qué pasaba, qué era aquello que había estado a punto de matarla. Cidronio, acongojado, le reveló los últimos acontecimientos que se vivían en aquellos parajes. La preocupación se notaba en cada frase que el anciano cedro vertía. Al terminar de narrarle todos los detalles, le dijo:

—Querida Jabalda: Leovigilda, Chalío y Zancudiermo han decidido unirse para acabar con esta invasión que ha llegado a la montaña. Yo sé que por medio de la música podemos dar un mensaje de respeto a la naturaleza. Tú acabas de vivir en carne propia la maldad de ese basurero encendido.

—Cidronio, mi guitarra se ha roto y no tengo más que mi voz para acompañarte en esta empresa —respondió triste Jabalda.

—No te preocupes, Jabalda —le dijo Cidronio inclinándose hacia ella—, con tu voluntad y solidaridad haré de ti un instrumento cantador de melodías. ¡Y para que nadie olvide que tus manos le dieron forma a distintos utensilios de cocina, al atravesar mi cuerpo encantado, tu cuello alargado tendrá más trastes que ningún otro instrumento, para que tu boca cante sabrosas y divertidas melodías por siempre! Tú serás: ¡la guitarra jabalina!

En tierra sotaventina

le pregunto a la nación:

¿Quién con un cuerno camina

desde la prima al bordón?

¿Sin ser cocina, cocina

en sus trastes cada son?

§

¿Qué instrumento es?

GUITARRA JABALINA

QUÉ CONTENTOS VAN MIS DEDOS / brincando en el diapasón, / melodía tras melodía / dando nombre a cada son. ¶ Suena el pajarito cu / en la guitarra; sus alas / vuelan en tierra jarocha / por musicales escalas. ¶ La

guitarra jabalina / canta sones de un lugar, / que baila en una tarima / cerca de un jarocho mar. ¶ Guitarra de cuatro cuerdas / con tus notas siempre hermanas, / los rasgueos que a la luna / le brindan nuestras jaranas. ❧

Armandillo

ARMANDILLO DISFRUTABA, CÓMODAMENTE ACOSTADO, DE LA FRESCURA DE SU hogar; sus dos orejas pequeñas y redondas se movían de un lado a otro al compás de su respiración. A las seis de la mañana había terminado su recolecta diaria de alimento: nanches del sabanerío, jobos maduros y raíces dulces. Exactamente a la una de la tarde volvía a recobrar su temple y sus reflejos, pero ese día algo iba a importunar su plácido sueño.

"Cof, cof, cof", se despertó tosiendo. Una neblina oscura inmediatamente le puso los ojos rojos y llorosos. Quiso encontrar la salida, pero todo estaba lleno de humo. A toda prisa comenzó a escarbar un pasadizo que lo pusiera a salvo. Pero no se daba cuenta de que la salida de emergencia que construía lo dirigía al centro de aquella humazón. Cuando pensó que estaba lo suficientemente alejado, rompió la superficie de un salto y se enroscó girando por el aire.

Cuando cayó en la tierra, nuevamente sintió ardor en los ojos y la tos se apoderó de su garganta. A toda velocidad emprendió la huida por el camino donde unas hormigas arrieras hacían lo mismo.

Al correr casi a ciegas, su cuerpo se atoró en un objeto; intentando zafarse de ese estorbo, dio tres maromas en el aire, pero un hilo delgado y tenso se le enredó en la punta de la cola, y tuvo que conformarse con continuar con aquello enredado al cuerpo.

Cuando por fin sintió el aire limpio, pudo ver lo diáfano del día. Se detuvo, y con muchos trabajos se deshizo del estorboso acompañante, y por fin descubrió que era...

"¡La guitarra de Jabalda!", se dijo a sí mismo, "¿cómo fue que vino a dar aquí?... ¡Claro, hoy era la reunión! Quiere decir que... ella está en medio de ese humo. ¡Tengo que salvarla!".

Tomando suficiente aire y cerrando fuertemente los ojos, se introdujo en busca de su querida amiga; tres intentos de búsqueda realizó Armandillo sin obtener los resultados que esperaba.

Agotado y afligido, tomó la guitarra rota y dirigió sus pasos al encuentro con los demás amigos. La noticia de la desaparición de Jabalda, en aquel humo negro, resultó para todos muy triste. Pero, a la vez, hizo que juntos pensaran cómo contrarrestar aquel aliento venenoso.

Cada paso que Armandillo daba era acompañado por una lagrimita cálida y una lamentación por la suerte de su querida amiga.

"¡Jabalda!, ¿cómo es que te pasó esto? De ahora en adelante: ¿quién nos reunirá?, ¿quién nos hará probar los mejores guisos de la montaña?, ¿de quién degustaremos los ricos postres?, ¿de quién escucharemos las más lindas canciones?"

Así se lamentaba Armandillo mientras caminaba, cuando de repente sintió una rama amorosa que acarició su cabecita. Alzó la vista y descubrió que Cidronio, conmovido, secando sus lagrimitas, le decía:

—¿Qué pasa, Armandillo, por qué esa tristeza tan grande? Sé que la situación en la selva es difícil en este momento… pero tiene solución.

—¡Ay!, Cidronio, tienes razón, eso me entristece mucho, pero lo que más me duele… es que hemos perdido a nuestra dulce amiga Jabalda. Ella quedó presa de aquel aliento negro y pestilente, y sólo por accidente pude rescatar su pequeña guitarra… ¡Me duele, querido Cidronio! No pude rescatarla —comentó llorando Armandillo—. Vengo a darles esa triste noticia a todos los amigos. Hoy, bajo tu sombra, quedamos de reunirnos para comer y cantar…

—Armandillo, ya no llores. ¡Jabalda se salvó! Un encantamiento de mi viejo tronco la transformó en un bello instrumento musical. Mira… ven acá. Toca las cuerdas de cada instrumento que veas, y me dirás de quién es la voz que tiene cada uno —interrumpió Cidronio.

Armandillo hizo lo que Cidronio le pidió y sorprendido exclamó:

—¡Ésta es Leovigilda! ¡Éste es Zancudiermo! ¡Éste es Chalío! —Al tocar el último instrumento y recorrer cada traste del diapasón, una melodía interminable brotó de aquella olorosa y roja madera—. ¡Es Jabalda!, pero… ¿Qué tiene que ver esto con todo lo que está aconteciendo aquí?

Cidronio nuevamente contó todo lo que sucedía. Le habló también del encanto que los dueños del monte habían dejado en su tronco hueco.

—¿Y qué gracia puede tener un armadillo como yo? No puedo, por más que quiera ayudarte, transformarme ni en un silbato de carrizo. ¡Qué mala suerte la mía! —comentó Armandillo mucho más triste.

—Espera, Armandillo —le pidió Cidronio—, déjame pensar… Dame tiempo… ¡Ya sé, lo tengo! ¡Con tu concha nos ayudarás!

—Pero… ¿cómo? —preguntó Armandillo.

—Con ella repararemos la guitarra de Jabalda, ¡y será la más bella caja de resonancia! —feliz el viejo cedro le reveló.

—Mmm… sí, está bien, pero… ¿Y mi cuerpo? —atajó Armandillo

Cidronio guardó silencio y concentrándose, le dijo:

—¡Se transformará en algo muy bello! ¡Ven, abraza fuertemente la guitarra!

Sin dudarlo, Armandillo abrazó la guitarra, pensando que ahí vivía un cachito del corazón de Jabalda. Pensando también que, muy pronto, ayudaría a terminar con esa peste que invadía la montaña. Así pues, se vistió del encanto de Cidronio…

Una guitarra sonó alegremente al sentir el pasto acariciando su cuerpo revestido.

Del otro lado del encanto, muchas mariposas bailarinas, de múltiples colores, abrieron sus alas llevando las notas de aquel instrumento por las ramas cantarinas de Cidronio.

WOOSH!

Los Andes con sus luceros
me vieron en un charango.
En la danza de concheros
tengo autoridad y rango.
En Veracruz, jaraneros
me han invitado al fandango.

§

¿QUÉ
INSTRUMENTO
ES?

JARANA DE ARMADILLO

Una concha de armadillo / en un cedro la pegué, / darle forma fue sencillo, / y cuando la terminé / con bordón y con sextillo / y otras cuerdas la afiné. ¶ Cuando la gente la oyó / le hicieron un fandanguito, / desde entonces creo yo / que ya no estoy

tan solito. / ¡Qué bonito resonó / esa jarana, amiguito! ¶ Ando de día y de noche / cantando con mi instrumento, / a pie, en burro o en coche / viajo cantando contento / con mi jarana de "toche" / regando notas al viento. ¶ Me despido como un grillo, / cantando siempre cantando, / dando a mi garganta brillo, / les termino relatando / el cuento del armadillo, / que conmigo anda sonando. ❧

Burregundo

Al llegar a la entrada de la cueva encontró un mensaje que decía: "Por el momento no me encuentro, si es tan amable de regresar, mañana por la mañana podré atenderle". Con letras más pequeñas al final del texto se leía: "Burregundo, qué olvidadizo te has vuelto, te estuve esperando. En caso de que leas este mensaje, estaré o, más bien, estaremos en el lugar de costumbre".

Efectivamente, a Burregundo se le había olvidado aquella importante fecha. Observó la posición de su sombra en la tierra y se dio cuenta de que aún le faltaban unos minutos para terminar su labor en la montaña, y le quedaría tiempo suficiente para arreglarse y cumplir el compromiso que Jabalda le había recordado en aquel mensaje.

Desde que Burregundo había decidido irse a vivir a la montaña, su labor consistía en dar la hora con su rebuznido. Comenzaba a las siete de la mañana, después a las doce, y terminaba a las tres de la tarde.

A punto de cumplir treinta años de labor, ya pensaba en jubilarse, porque, últimamente, cuando lanzaba su rebuznido, sus dientes y sus muelas, que ya estaban algo flojos, empezaban a temblar y con ellos las orejas, las bolitas de los ojos y hasta la punta de la cola. Por esa razón, cuando tenía que dar la hora se abrazaba del primer árbol que encontraba para no perder el equilibrio.

La luz del sol en la tierra reflejó las tres de la tarde. El pobre burro viejo no tuvo más remedio que sujetarse del primer árbol que encontró, para lanzar su voz anunciadora; su cabeza y todo su cuerpo empezaron a vibrar. El árbol al que se había sujetado, al sentir aquella vibración, dejó caer dos enormes guanábanas maduras que se despedazaron en la cabeza de Burregundo.

Totalmente embadurnado de la dulce pulpa de la fruta, el reloj caminante de la selva se alejó para darse un enjuagón y poder llegar a tiempo a la cita con Leovigilda, Jabalda y otros personajes que ese día conocería.

Burregundo y Jabalda (el burro por delante) disfrutaban de una sólida amistad. Todas las tardes sostenían largas conversaciones y se deleitaban con una taza de café, acompañados siempre de la guitarra de Jabalda.

De esa manera, Burregundo aprendió a entonar uno que otro son mexicano. Pero lo que más se le daba eran los ritmos guapachosos y bailables. Porque desde pollino, en aquel pueblo donde vivió alguna vez, sus dueños le enseñaron a mover las caderas al ritmo salsero y cumbiero de aquellos años. Y eso le valió que lo vendieran al primer circo que pasó por aquellos rumbos, del cual se escapó en la primera oportunidad que tuvo.

Una ardilla retozona, seis pijules elegantes, una zorrita pelona y cuatro ranitas cantantes salieron a despedirlo. Alzando contento las cuatro patas, Burregundo caminó y caminó hasta llegar al sitio donde horas atrás Jabalda había contemplado todo aquel panorama.

Sorprendido, bajó rápidamente. Al aproximarse al centro de aquel incendio vio que un montón de puercoespines habían formado una barricada para desviar a los caminantes y evitar cualquier tipo de accidente.

Bordeando la orilla de la Ciénega, con la nariz tapada y la vista empañada, logró salir al camino seco. Apenas había caminado un tramo, cuando pisó algo muy duro, como un hueso que, a su vez, rebotó en sus cuatro patas.

—¡Oye, qué no te fijas por dónde, hip, caminas! Cuadrúpedos, hip, cretinos, hip, se creen los dueños del camino, hip —reclamó muy enojada una tortuga pinta asomando la cabeza fuera del caparazón.

—Disculpe, señora tortuga —dijo apenado el burro.

—Señorita, por favor —respondió furiosa la tortuga.

—Bueno... disculpe, es que traigo los ojos un poco irritados por esa humazón y no vi que usted estaba en el camino.

—Le pido, señor burro, que tenga más respeto por mi persona —alegó la tortuga.

Burregundo tuvo que contener la risa al escuchar hablar con el hipo atravesado a la tortuga. Cuando ya no pudo contenerse, fue al descubrir la graciosa forma de caminar de la jicotea: con la patita de atrás detenía su caparazón que brincaba a cada paso cuando el hipo le estremecía el cuerpo.

—Ja, ja, qué simpática forma de caminar, señorita tortuga —decía el burro, agarrándose la panza.

La tortuga, mirándolo reír, también soltó tal carcajada, que hasta el hipo se le quitó.

—Ja, ja, ja, ja, señor burro, es más simpática su forma de reírse. ¿Qué no se ha dado cuenta de que todos los dientes se le mueven cuando se ríe?

El pobre Burregundo no hizo más que cerrar su enorme boca, y muy serio vio cómo la tortuga se alejaba felizmente caminando.

Dando cuatro pasos, Burregundo la alcanzó:

—Ejem, ejem, señorita tortuga, le pido disculpas, permítame presentarme, mi nombre es Burregundo, el burro que vive, o más bien vivía, felizmente en la selva. Y usted, ¿cómo se llama?

Dando pequeños pasos con la vista al frente y aceptando las disculpas, ella se presentó:

—Yo soy Aldegunda de los Pantanales y por aquellos húmedos lugares me llaman también: la jicotea... ¡Y oígame, señor burro, con referencia al accidente que tuvimos, si hubiera sabido que estos lugares estaban en estas condiciones, ni me atrevo a salir de mi casa!

—¿Y qué la trajo por acá entonces? —intrigado preguntó Burregundo.

—Ayer por la tarde, en los pantanales, recibí la invitación de mi amiga Leovigilda para comer y presentarme a nuevos amigos —comentó Aldegunda.

—¿Leovigilda la leona? —interrumpió el burro.

—Sí, ella misma —dijo la tortuga.

—Qué coincidencia, señorita Aldegunda. También es amiga mía y yo voy hacia el mismo sitio.

—¿Qué le parece si sube a mi lomo, se sujeta de mi crin, y así llegamos más rápido? Porque los dos venimos algo retrasados y a esta hora ya deben estar sirviendo los platillos.

Agradeciendo la gentileza del aventón, Aldegunda se acomodó encima de Burregundo y partieron conversando alegremente.

Él le preguntó por aquella forma de caminar tan graciosa. La tortuga le contó que cuando se espantaba le aquejaba un fuerte hipo que le aflojaba el caparazón y tenía que sujetarlo para no quedarse desnuda.

Por su parte, ella quiso saber por qué los dientes de Burregundo bailaban con cada carcajada. Burregundo le platicó toda su historia.

Hablaron también de aquello que acontecía en la selva y que debía de ser muy malo, porque estaba alejando a todos del lugar.

Conversando y conversando llegaron bajo la sombra de Cidronio... nadie disfrutaba de los sabores de Jabalda.

Burregundo se acercó a Cidronio y le preguntó:

—Cidronio, ¿qué pasa? ¿Dónde están las risas que bajo tu sombra deberían abrazarte y

perfumar el pasto limpio de tu alrededor? ¿Por qué este silencio de tus ramas cantarinas?

—No, querido Burregundo, no hay tristeza ni silencio. Todos han llegado a la fronda fresca de mis brazos. Conocieron la tristeza de estos montes y atravesaron el encanto de este anciano tronco, para que al punto en que el horizonte se vista de negro y el cielo fulgure de estrellas, brote de sus cuerpos la más hermosa de todas las músicas. La música que tiene el aroma de las flores, los silencios y los trinos de la Ciénega; y de la montaña, el sabor profundo de la tierra y los misterios del alba y la noche. Sólo tú y Aldegunda faltaban de llegar a esta cita —contestó el anciano cedro.

—Querido Burregundo —continuó, dirigiéndose al burro—: ¡el monte sufre con el fuego que arroja ese humo negro, no se detiene y amenaza con invadir toda la montaña, si eso se extiende no habrá mañana para nosotros!

—Pequeña Aldegunda —dijo Cidronio, mirando a la tortuga—: ¡necesitamos acabar con el monstruo que todo marchita, necesitamos enseñar que el aliento limpio de cada montaña es canto de vida para los seres que habitan este planeta!

—¿Qué hacemos, Cidronio, para llevar este mensaje? —gritaron Burregundo y Aldegunda al unísono.

—Al igual que Leovigilda, quien un día soñó que bajo mis ramas estaban todos sus amigos convocados por mi canto, al igual que ella y todos los que ya llegaron, ustedes deben atravesar el encanto, pero deben darse prisa, el sol está cayendo y es señal de que pronto terminará.

Burregundo se aproximó al encanto, se detuvo. Temeroso y caballero le dijo a Aldegunda:

—Señorita, las damas primero.

—E... e... e... está, hip, bien, hip —contestó Aldegunda, nuevamente invadida por el hipo y agarrando su caparazón.

Como si fuera el mejor *pitcher* del mundo, Burregundo lanzó a la tortuga directo al centro del agujero encantado. En el aire, dando vueltas, la pobre Aldegunda soltó su caparazón, que cayó al suelo antes de que ella entrara al encanto.

Si ves mi casa
sola en el río,
sin nadie adentro,
todo baldío;
toca en el piso,
porque, confío,
oirás latidos
del pecho mío.

Del otro lado del viejo cedro, una guacamaya extendió sus alas rumbo a la esperanza.

Burregundo al ver aquella transformación se quedó inmóvil, y temeroso dijo:

—Viejo cedro... yo... yo.

—Vamos, inténtalo antes de que el encanto se acabe, vamos, sólo faltas tú —impaciente, desesperado, lo apuró Cidronio.

Burregundo cerró los ojos. Pero al meter la cabeza en el encanto, éste se fue cerrando. Intentó retroceder, pero se había quedado atorado. El agujero del árbol iba desapareciendo, al igual que la luz del sol.

Dentro del encanto, Burregundo abrió los ojos y pudo ver cómo los chaneques, uno a uno, agarraban su instrumento musical. Dos chanequitos muy pequeños corrieron para ver

quién ganaba el caparazón de Aldegunda para percutirlo. Uno fue el ganador. El que se había quedado sin nada alzó la vista para ver el agujero encantado, y al descubrir la cabeza de Burregundo exclamó:

—¡Burregundo! ¡Vamos, tú puedes! Atraviesa el encanto para que yo tenga mi instrumento. Tu quijada, Burregundo, déjamela con sus dientes vibrantes y sonoros.

—Pero ¿cómo? Ya no pude atravesar, y si salgo de aquí seré un burro sin quijada.

—Cierra los ojos. ¡Aprisa! —agitando las manos, el chaneque le pidió a Burregundo.

Burregundo cerró los ojos y el pequeño chaneque le dio un ligero golpe que hizo que la quijada cayera al suelo, seca y vibrante...

Fuera del encanto el sol se despidió. Burregundo, con una quijada nueva, anunciaba que un nuevo tiempo iniciaba. La noche abrazó a Cidronio, que agitaba sus ramas. Mientras, alrededor de su tronco, Burregundo, Aldegunda, Jabalda, Armandillo, Chalío, Zancudiermo y Leovigilda entonaban junto a los chaneques:

Que llueva en la sierra,
llueva en la llanura,
limpiando la tierra
con manos futuras.

Que llueva, que llueva,
que la lluvia es vida.
Retoñen los sueños
del mundo que gira.

Al día siguiente, los caminos de la montaña, húmedos y encantados, encontraron a seis chanequitos bajo las hojas de la sombrilla enseñándoles a los hombres los cantos para salvar el mundo.

Si un músico de repente

me tunde a las cachetadas,

contentos vibran mis dientes

bailando a las carcajadas.

§

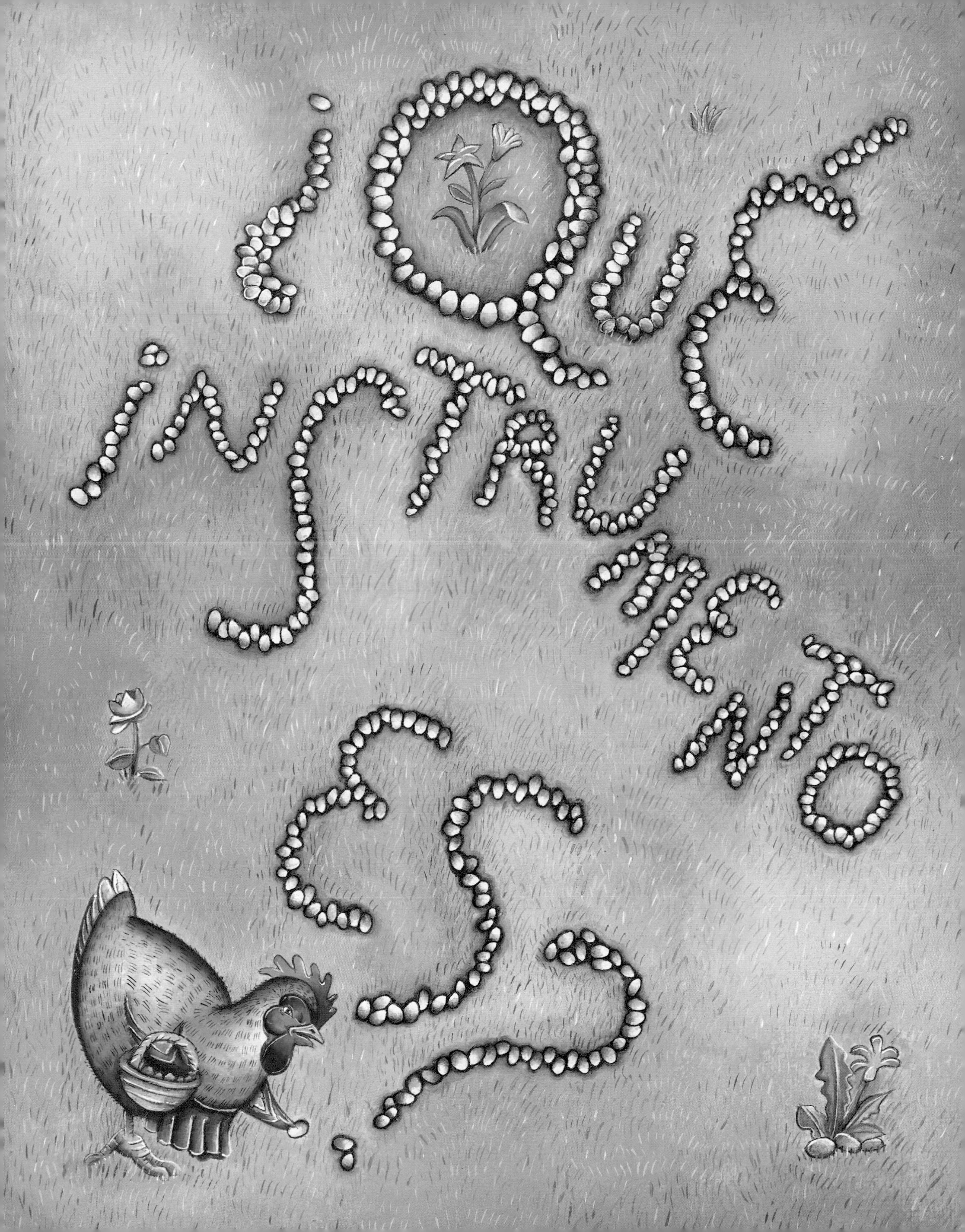
¿QUÉ INSTRUMENTO ES?

QUIJADA DE BURRO

Un burrito muy viejo / le dijo al viento: / si muero, que mi quijada / sea un instrumento. ¶ La quijada que suena / por la tarima / es de un burro cantante, / por eso vibra. ¶ La quijada se seca / y el esqueleto

/ vive entre zapateado, / jarana y verso. ¶ Racachaca chachaca / raspo tus dientes, / caballo o burro, ¡tú eres / músico siempre! ❧

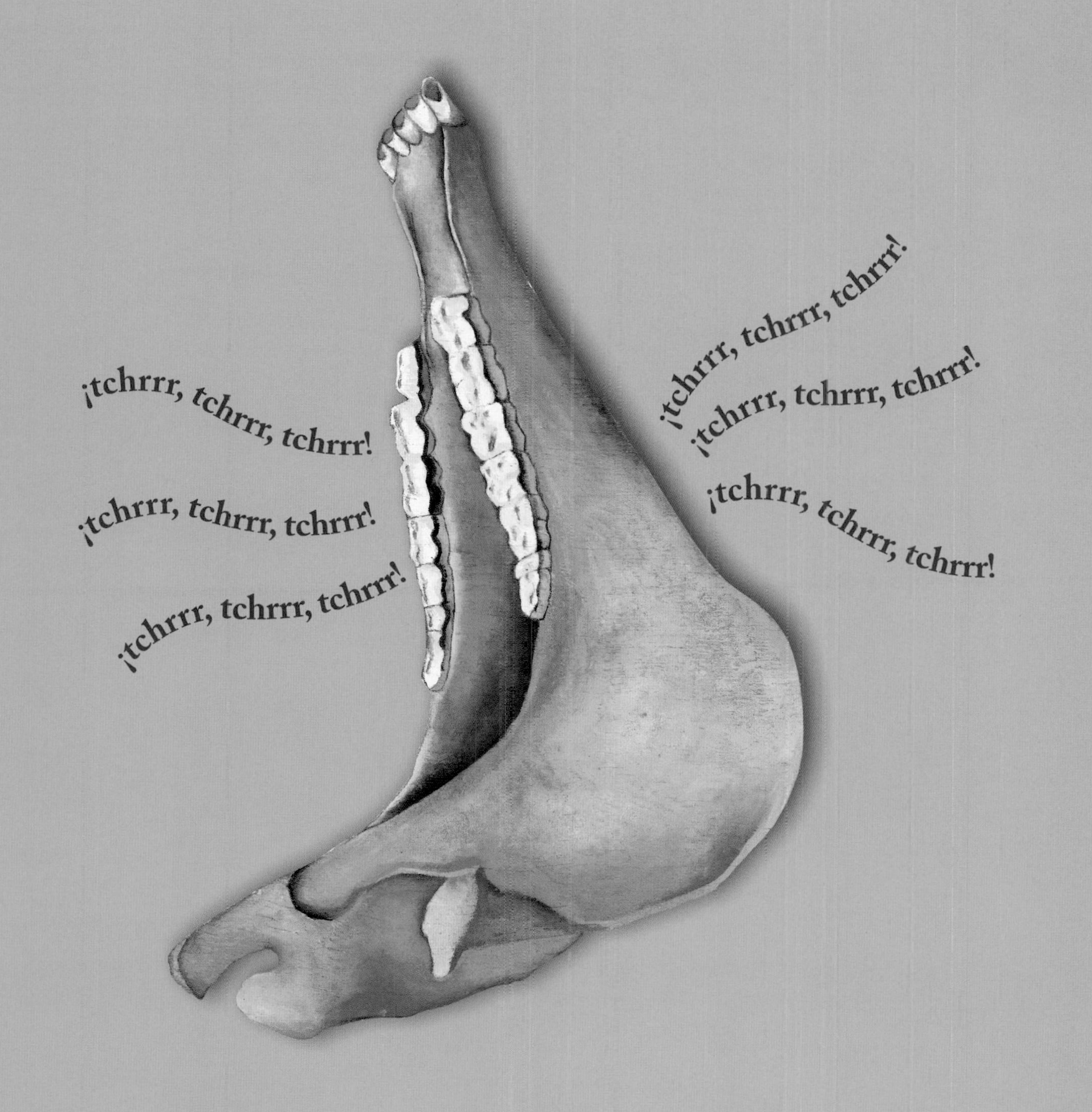
¡tchrrr, tchrrr, tchrrr!
¡tchrrr, tchrrr, tchrrr!
¡tchrrr, tchrrr, tchrrr!
¡tchrrr, tchrrr, tchrrr!
¡tchrrr, tchrrr, tchrrr!
¡tchrrr, tchrrr, tchrrr!

Glosario

Son las guitarras, son las jaranas, son instrumentos
Aunque distintas, son muy hermanas.

Acaguales. Montes pequeños muy tupidos.

Agraz. Planta trepadora silvestre. Su tallo se corta para beber el jugo que ahí guarda, y su fruto crece en racimos que asemejan pequeñas uvas de sabor ácido.

Aguachal. Lugar muy húmedo.

Bordón. Cuerda de la jarana que emite un sonido grave.

Chachalacas. Aves de color café, cuyo canto es muy sonoro. Tienen cola alargada y se comen en algunas regiones de Veracruz.

Chaganes. Árboles maderables de la selva tropical. Por su madera de color oscuro y su dura consistencia, son utilizados para fabricar los diapasones de las jaranas, entre otros usos.

Chaneques. Seres míticos muy traviesos del sur de Veracruz, se dice que viven en las selvas para cuidar toda forma de vida, y que utilizan el tronco hueco de los árboles para pasar del mundo mítico al mundo terrenal. En la tradición indígena popoluca existe un dios al que se conoce como Chanek.

Chaquiste. En Veracruz, insecto volador muy pequeño que habita en la orilla del mar. Pica muy fuerte y se alimenta de sangre.

Chinchirrines. Nombre que se le da a las libélulas en el sur de Veracruz.

Chipilín o chipile. Planta cuya hoja es comestible y puede prepararse en sopa o en tamales con masa de maíz, entre otras formas.

Cuanajnagat. Hongo que nace en los encinales de Veracruz. Es comestible. Viene de la voz nahua que significa: "casi carne". Se prepara cocido, a la mexicana y en un platillo muy particular de Jáltipan, Veracruz.

Guarasapitos, guarasapos. Las crías pequeñas de los sapos, parecen diminutos peces en los charcos. Son de color negro.

Guatimé. Planta trepadora que tiene el mismo uso que el totoloche.

Jicotea. Un término en lengua africana lucumí que significa hechizo o embrujo. Define también a las personas lentas. En Tabasco, nombre que se le da a una especie de tortuga de color verde, cuyo caparazón está formado por rombos veteados. En Veracruz es la tortuga pinta.

Jimba. Especie de bambú que crece de manera silvestre. En su tallo se forman espinas.

Jobo. Árbol de la familia de las Anacardiáceas, cuyo fruto es de color amarillo parecido a la

que conociste. Hay chicas, grandes, también medianas, en todas ellas la magia existe.
Y de madera cada una viste, en nuestras fiestas veracruzanas.

ciruela. En Veracruz, se utiliza para preparar una bebida con alcohol que se llama "toro e´ jobo".

Malanga. Tubérculo que se cultiva o nace silvestre en los terrenos húmedos de Veracruz. Se cocina en caldo de res, frito o en dulce.

Mogo mogo. Comida tradicional del sur de Veracruz hecha a base de plátanos machos machacados. Se prepara de muchas formas dependiendo de la región.

Nanches. Frutas silvestres del trópico, se recolectan de manera natural en los montes de Veracruz. Hay gran variedad de nanches, que se diferencian en su sabor y tamaño. Se preparan en dulce y también se dejan reposar por un año en azúcar y alcohol, para obtener una bebida llamada mistela de nanche.

Palmón. Flor de color blanca muy aromática. Se le llama también flor de mariposa; crece en los humedales del sur de Veracruz, y es muy utilizada para hacer arreglos florales.

Pichichis. Patos salvajes, color café dorado. Habitan, por lo general, en lagunas y esteros de Veracruz. Viven en grandes parvadas. Se pueden domesticar y su carne es muy apreciada.

Pijules. En Veracruz, pájaros de color negro muy lentos en su volar, su nombre es una onomatopeya del sonido que emite al cantar.

Pollino. Asno joven.

Poposchquelas. Aves cuyo vuelo es de corta distancia, por eso se les encuentra siempre caminando por las corrientes de los arroyos. Su canto es muy particular y muy sonoro.

Quelite. Planta comestible que nace silvestre en los maizales de Veracruz, también es conocida como yerba mora. Se recolecta y se prepara cocida en molito de masa de maíz, en diferentes pueblos de la región se acostumbra añadirla a los frijoles de olla.

Sabanerío. Viene de sabana, que es una tierra llana.

Sextillo. Cuerda muy delgada de la jarana que emite un sonido agudo.

Toche. Nombre que tambien recibe el armadillo en el sotavento de Veracruz.

Totoloche. Planta trepadora silvestre que se utiliza para hacer varas o fuetes para los caballos.

Yuca. Tubérculo que es utilizado en diversos platillos en Veracruz y otras partes de América. Se come frito, en caldo de res, en dulce, etcétera.

Se imprimió en el mes de agosto de 2009,
en los talleres de Offset Rebosán, en Avenida Acueducto núm. 115,
colonia Huipulco, Tlalpan, C. P. 14370, México, D. F. •
Se utilizaron las familias Adobe Caslon, Pro Goudy Handtooled BT, Futura •
Se imprimieron 2 000 ejemplares, en papel couché de 150 gramos
y con encuadernación en cartoné •
El cuidado de la impresión estuvo a cargo de Ana Laura Delgado